La Banda del Bosque

MASAO MIZUNO

Traducción : Eduardo Campelo

Shinseken

Zunchaka-ckaka cha···
Zunchaka-ckaka cha···

¡Miren! Aquí viene la banda del bosque abriéndose camino entre los árboles. Hoy van a dar un gran concierto. ¡Presten atención! ¡Qué ritmo!

¡Tsh, tsh, tsh! Dore bate los platillos.

Ni ni ni ni... Mifa toca el violín.

Piro-liro-piro-liro... Sola toca la flauta.

Buooon, buooon... Tido al final de la línea, toca el saxofón.

Las criaturas del bosque bailan alegres al son de la música. Siguen a la banda saltando, brincando y haciendo cabriolas. "¡Vengan todos! ¡Hoy la banda da su concierto!"

Zunchaka-ckaka cha···

Zunchaka-ckaka cha···

En las ramas de los árboles, los monos escuchan los acordes de la banda. Bajan deprisa y con mucha algarabía. "¡Esperen, esperen!" alborotan mientras se unen a los demás. "¡Nosotros también vamos al concierto!"

♪ ♪ *Zunchaka-ckaka cha···*
♫ *Zunchaka-ckaka cha···*

La banda del bosque avanza tocando sus instrumentos... hasta que algo se agita justo enfrente de ellos. ¿Qué es eso? ¡Cuidado!

"¡Oh no!" grita Dore. "¡Es un búho a punto de atacarnos! ¡Detesto sus ojos saltones, me asustan mucho!" Dore golpea sus platillos y escapa corriendo como un conejo asustado.

Mifa, Sola y Tido se ríen de él.

"¡Oye, Dore ven a ver! Es sólo una hoja seca."

Dore se acerca todavía temblando.

"Ya no quiero ir más al frente," dice y se va al final de la

línea.

Mifa toma la delantera.

"¡Apúrense, apúrense! ¡Llegaremos tarde al concierto!"

Los animales del bosque corren detrás de la banda.

Las ardillas están sentadas sobre una rama comiendo nueces mientras ven pasar a la banda.

"¡Hoy es día de concierto!" Crunch, crunch.

"¡Paremos de comer y vayamos!" Crunch, crunch.

"¡Sí, vayamos todas!" Crunch, crunch.

Las ardillas dejan de comer, saltan del árbol y se unen al grupo.

♪ Zunchaka-ckaka cha··· ♫
♪ Zunchaka-ckaka cha··· ♪

La banda del bosque marchando va cuando... repentinamente ven retorcerse algo justo frente a ellos.

"¡Oh no! ¡Un enorme ciempiés! ¡Me desagradan mucho sus interminables pies!" grita Mifa mientras hace rechinar su violín y huye como un conejito asustado. Los otros tres se ríen de él.

"¡Oye, Mifa! ¡Ven a ver, son sólo pequeños helechos!" Mifa, todavía atemorizado vuelve a unirse al grupo.

"Bueno, ya no quiero caminar más adelante," dice Mifa, y se va al final de la línea.

Así que ahora Sola y Tido preceden a los demás.

La banda ya está llegando al claro donde se dará el concierto.

Uno tras otro van atravesando el puente sobre el río, seguidos por una larga fila de animales.

Zunchaka-ckaka cha…

Zunchaka-ckaka cha…

¡Hurra! ¡Estamos llegando! ¡Ya no tenemos nada que temer! La banda del bosque marcha más feliz que nunca...

Pero; ¡Epa! Justo frente a ellos aparece un aterrador tiburón.

"¡Oh no, socorro, socorro! ¡El tiburón va a comernos!" gritaron los de la banda dispersándose.

Pero Dore y Mifa, observan mejor esta vez. ¿Dónde se ha visto que aparezca un tiburón en el bosque?

"¡Vuelvan Sola y Tido, es sólo un tronco retorcido!" Dore y Mifa llaman a sus compañeros.

Sola y Tido, avergonzados, vuelven a unirse al grupo.

"¡Vamos! Llegaremos al claro montados en la espalda del tiburón," grita Dore, tomando de nuevo la delantera.

"¡Miren! ¡La aldea de nuestros hermanos!" dicen Dore y Mifa.

"¡Vengan todos, únanse a nosotros, hoy damos un concierto!" llaman Sola y Tido.

Cuando escuchan esto, los pequeños habitantes de la aldea salen de sus casas y corren al claro del bosque.

Al fin todos están juntos. La banda del bosque saluda a su respetable público.

"Señoras y señores, el concierto va a comenzar... ¡O más bien va a continuar!"

Zunchaka-ckaka cha···
Zunchaka-ckaka cha···
Zunchaka-ckaka cha···
Zunchaka-ckaka cha···

¡Canto y baile! ¡Baile y canto!

El sonido de la música flota en el aire y todos los habitantes y animales del bosque cantan y bailan juntos. Todos disfrutan el concierto como grandes amigos.

Masao Mizuno y su mundo.

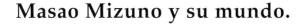

El niño a menudo vive en un mundo de fantasía. Para él, una mancha de humedad en la pared o una caprichosa nube en el cielo, pueden transformarse en seres humanos o maravillosos animales en movimiento. Un mundo fantástico como éste suele convertirse en un libro de cuentos ilustrado. La fértil imaginación que genera este fantástico universo, tiende a perderse con la edad, aunque rara vez aparecen seres capaces de retener este poder de la imaginación en su vida adulta. Masao Mizuno es uno de ellos. Pequeñas ramitas esparcidas por el bosque, que no significan más que eso para la gente común, se transforman gracias a las manos de Mizuno, en encantadores muñecos que cobran vida y movimiento. Él es capaz de crear y dar vida a un mundo de hadas, lleno de animales parlantes y minúsculos personajes, capaces de brindarnos infinita alegría.

Nacido en Hachiman, Gifu. Masao Mizuno se formó en la disciplina de la pintura al óleo en la Universidad de Bellas Artes de Tama, trabajando como profesor en su tierra natal. Retirado de la enseñanza, actualmente se dedica únicamente al trabajo artístico que comprende tanto la tradicional pintura al óleo como el origami y la creación de sus pequeñas criaturas. Para generar este mundo fantástico, el atelier de Mizuno se traslada al bosque, la naturaleza misma se convierte en su atelier. En 1990 fundó "Yudokan", la Galería de Arte Masao Mizuno, en Hachiman. Es autor de muchos libros distinguidos, como *Los Peces que no Querían ser Pescados* (Shinseken).